L'ÉCOLE, C'EST TOUJOURS AUSSI

À Michel Luppens, pour son implication dans
le domaine de la littérature jeunesse québécoise. ELIMINÉ

Données de catalogage avant publication (Canada)

Durocher, Luc, 1954-

L'école, c'est toujours aussi fou!

(Le raton laveur)
Pour enfants de 3 à 8 ans.

ISBN 2-920660-68-3

I. Germain, Philippe, 1963- . II. Titre. III. Collection: Raton laveur (Mont-Royal, Québec).

PS8557.U76E27 2001   jC843'.6   C2001-940994-X
PS9557.U76E27 2001
PZ23.D87Ec 2001

Nous reconnaissons l'aide financière du gouvernement
du Canada par l'entremise du Programme d'Aide au
Développement de l'Industrie de l'Édition (PADIÉ)
pour nos activités d'édition.

Le Conseil des Arts   The Canada Council
du Canada   for the Arts

Éditions Banjo remercient
le Conseil des Arts du Canada du soutien
accordé à leur programme d'édition dans
le cadre du programme des subventions
globales aux éditeurs.

Cet ouvrage a été publié
avec le soutien de la SODEC.

Gouvernement du Québec – Programme de crédit
d'impôt pour l'édition de livres – Gestion SODEC.

Dépôt légal – 3ᵉ trimestre 2001
Bibliothèque nationale du Québec
Bibliothèque nationale du Canada
ISBN 2-920660-**68**-3

L'ÉCOLE, C'EST TOUJOURS AUSSI FOU!

Texte :

Luc Durocher

Illustrations :

Philippe Germain

Le Raton Laveur

Avant, je ne croyais pas ma sœur quand elle me parlait de l'école.
Mais depuis que j'y vais, je sais qu'il s'y passe des choses extraordinaires.

Je commence ma journée en sautant dans l'autobus scolaire.

Avant le début des cours, on nous invite à tailler nos crayons.

Puis on commence le cours de mathématiques en faisant des sommes.

Ensuite, tous jonglent avec les chiffres.

Quand vient le temps de faire des exposés, les élèves cherchent quelquefois leurs mots.

Il y a des moments où, pour trouver des réponses, il faut s'arracher les cheveux.

Il y en a d'autres où les écoliers ont vraiment du travail par-dessus la tête.

Dans chacune des classes, les élèves indisciplinés sont priés de prendre la porte.

Pendant les cours de musique, le prof nous demande souvent de tenir la note...

Et lors de certains cours, nous devons chanter toujours plus haut.

Au retour des vacances, notre éducateur physique pense que les enfants ont de la difficulté à se remettre dans le bain.

Les enseignants semblent vraiment apprécier les élèves bien élevés...

Surtout ceux qui volent au secours des autres.

Mais aller en classe a le grand avantage de faire de nous des enfants cultivés.

Fréquenter l'école m'a rendu beaucoup plus sérieux que ma sœur.
C'est pour ça que je m'en vais repasser mes leçons.